알파오메가 2·3

부제、띵시와 띵언

만보 떵디

작가의 말

2023. 유료 chatGPT 시작, GPTs 작가 띵디쌤으로 마무리. 평생 친구와의 인사. 시와 명언을 통해 새로운 세계 경험. 띵디가 띵시와 띵언을 만나 새로운 가치 창조. 고정관념과 식상함을 날리는 교차 편집. 휴먼명조와 HY엽서M의 어우러짐. 제주여행 세 장의 사진을 합친 그림. 동양과 서양의 조우. 챗과 빙의 협업. 인문학과 인공지능의 통섭. 사고력과 문제해결능력을 결합한 창의적 통찰력. 인간의 뇌와 로봇 기술의 융합. 더하기와 빼기 신공의 협력. 책과 사람의 사랑. 시와 명언의 끝말잇기. 글과 그림의 연합. 너와 내 목소리의 공명. 나와 네 이야기의 공감. 틀림이 아닌 다름의 이야기. 웰컴 2024.

- 샬롬 띵디 ☕

☕Think Different(띵크 디퍼런트)를 저자가 재미있게 줄여 부르는 말로, 애플사가 만든 광고 문구. 스티브 잡스의 대표적 창의적 멘트.

차례

G

P

T

S

G

10

현호색 ☕

겨울의 잔상 속에 피어난 생명의 기적 조용한 들판의 겸손한 초록 강인함과 부드러움이 어우러진 봄의 기다림 영롱한 빛으로 살며시 깨어나는 새벽의 꿈 논과 밭의 숨겨진 공간 조용히 자리한 생명의 향연 겨울을 이겨낸 끈질긴 기운 봄날 햇살 속으로 피어나는 환히 빛나는......

초 록 의 이 야 기

☕ 들현호색의 덩이줄기로 현호색과에 속한다. 다년생 초본으로 중부지방의 논, 밭에 자생하는 식물.

색감

우리 삶의 색감은 경험의 팔레트에서 뽑아낸 것, 한 번의 터치로 완성되지 않는 수많은 순간들이 모여 하나의 걸작을 이룬다.☕

☕ 이 띵언은 삶을 그림에 비유하여, 다양한 경험이 마치 화가의 팔레트에 있는 다채한 색상들처럼 우리의 인생을 구성한다고 말합니다. 각각의 색상은 우리가 겪는 개별적인 사건과 감정을 나타내며, 이 모든 것들이 결합되어 우리 각자의 독특한 '인생 그림'을 완성시킵니다. 한 번의 터치로 완성되지 않는다는 말은 삶이 단순하지 않으며, 여러 번의 시도와 다양한 경험을 통해 점차 발전하고 완성된다는 의미를 내포하고 있습니다. 이는 우리 각자가 살아가면서 만들어내는 걸작, 즉 인생이라는 작품이 오랜 시간과 많은 노력을 통해 조금씩 그려진다는 것을 의미합니다.

감수성

달빛 아래 춤추며 세상을 향한 마음 창이 조용히 열리고 깊은 밤의 침묵 속에 깃든 은은한 감성의 노래가 부드럽게 흐르네

느낌의 바다를 항해하는 소망 가득 영혼의 손길이 닿는 곳마다 생명의 리듬을 섬세하게 느끼며 조용히 마음에 파문을 일으키네

세상의 소음을 넘어 조용히 자신만의 멜로디를 슬며시 연주하며 내면의 오케스트라는 그윽하고 정갈하게 향연을 시작하네

13
성장
진정한 성장은 크기의 변화가 아니라,
내면의 깊이를 더하는 여정이다.

☕ 진정한 성장은 물리적인 확장이나 외부적 성취로만 측정되지 않습니다. 오히려 이 띵언은 개인의 내면적 발전과 자아의 심화에 주목합니다. 성장은 삶의 경험을 통해 더 깊고 풍부한 이해와 지혜를 얻는 과정을 의미하며, 이를 통해 개인은 더 나은 자신과 더 성숙한 인간으로 거듭나게 됩니다.

14

장미

아침 이슬에 반짝이는 손망울
향기로운 순간들이 이어지며
섬세하고도 단단한 삶의 이야기
은은한 빛 속에 숨겨진 가시처럼
아름다움과 함께 삶의 복잡함
허나 가시들마저 본질을 이루는
강인함과 취약함이 공존하는 너

미래

미래는 현재의 거울.
오늘의 선택과 행동이
내일을 만든다.☕

☕ 이 띵언은 미래가 단순히 시간의 흐름에 의해 결정되는 것이 아니라, 현재의 결정과 행동에 의해 형성된다는 생각을 강조합니다. 오늘 우리가 하는 선택과 취하는 행동이 내일의 삶을 구축한다는 의미에서, 이 명언은 미래를 계획하고 형성하는 데 있어 현재의 중요성을 부각시킵니다. 이를 통해, 우리는 각자의 미래를 적극적으로 만들어갈 수 있는 힘과 책임이 있다는 것을 일깨웁니다.

16

내일

새벽녘에 피어나는 희망의 꽃
그윽한 달빛 아래에서 꿈을 꾸는 순간
무거운 어둠을 지나, 햇살을 향한 여정

조용히 기다리는 아직 오지 않은 시간들
별빛 아래 속삭이는 약속과 소망
가슴에 품은 기대, 새로운 시작을 향해

일출

새벽의 첫 빛은 어둠을 밀어내고 새로운 가능성을 비춘다. 매일은 새로운 시작의 기회다.☕

☕ 이 띵언은 일출, 즉 새벽의 첫 빛이 가지는 상징적 의미를 강조합니다. 어둠을 밀어내고 새로운 날을 밝히는 일출은 새로운 시작과 가능성의 상징으로, 우리에게 매일이 새로운 기회를 제공한다는 메시지를 전달합니다. 이는 매일을 새롭게 시작할 수 있는 힘과 가능성을 강조하며, 삶에서 발생하는 변화와 기회를 긍정적으로 받아들이고 그것을 통해 성장하라는 격려의 메시지를 담고 있습니다.

18

출발

새벽이 열리는 문턱에서
가슴에 품은 꿈들과 함께
마음의 지평선을 향한 발걸음

희망의 바람이 속삭이는 길 위
알 수 없는 내일로의 여정
마주하는 모든 순간이 새로운 발견

떠나는 이 순간
여행의 시작과 도전의 약속
앞으로 펼쳐질 무한한 가능성들

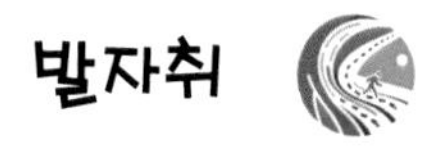

발자취

우리가 남기는 발자취는 길을 따라가는 것이 아니라, 새로운 길을 만드는 것이다. 각자의 삶은 독특한 여정의 지도를 그린다.☕

☕ 이 띵언은 우리의 삶이 단순히 기존의 길을 따라가는 것이 아니라, 새로운 길을 만들어가는 과정임을 강조합니다. 우리 각자의 발자취는 독특하고 개별적인 여정을 나타내며, 이는 삶의 지도에 자신만의 경로를 그려나가는 것과 같습니다. 이러한 관점은 개인의 삶이 단순한 반복이나 모방이 아닌, 자신만의 특별한 경험과 선택으로 이루어진다는 것을 의미합니다. 각자의 경로는 개인의 성격, 결정, 경험에 의해 형성되며, 이는 삶을 독특하고 의미 있는 여정으로 만듭니다.

취향

가을바람 흩날리는 낙엽처럼
소소한 즐거움들이 모여들어
마음의 정원을 가득 채우네

책장 속 은밀한 이야기들
커피 한 잔의 따스한 위안
조용한 음악에 녹아든 시간

작은 것들의 아름다움을 찾아
일상 속 작은 행복의 조각들
각자의 마음에 피어나는 꽃들

향기

향기는 보이지 않는 존재의 흔적,

사라진 순간에도 마음에 오래 남는다.

우리의 삶에서 가장 은은하고

강력한 기억을 만든다.☕

☕ 이 띵언은 향기가 가지는 상징적 의미와 영향력에 대해 설명합니다. 향기는 보이지 않지만, 그 존재감은 강렬하게 느껴지며, 사라진 뒤에도 오랫동안 기억에 남습니다. 이는 우리 삶에서 향기가 단순한 냄새 이상의 의미를 지닌다는 것을 나타냅니다. 향기는 가장 은은하면서도 강력한 기억을 만들어내며, 이는 감정, 사람, 장소, 경험과 연결되어 우리의 마음속에 오래도록 남습니다. 즉, 향기는 감각을 넘어서 우리의 기억과 감정에 깊이 파고드는 특별한 존재로서, 인간 경험의 복잡한 층위를 풍부하게 만듭니다.

22

기억

잊혀진 길의 끝에서 가물거리는 추억
오래된 사진처럼 희미한 향수

어린 시절의 놀이터 잃어버린 첫사랑의 미소
모두 시간 속에 잠기고 가려진 보물

깊숙이 간직된 달콤씁사름 과거의 맛
감정의 색을 더하는 삶의 조각들

억울함
억울함은 마음의 그늘
인내와 이해로만 해소된다
시간은 진실을 빛으로 이끈다

☕ 이 띵언은 억울함이 마음에 미치는 영향과 그 해결 방법에 대해 설명합니다. 억울함은 마음에 그늘을 드리우는 감정이며, 이를 해소하기 위해서는 인내와 이해가 필요하다고 강조합니다. 이는 단순히 시간이 지나면 모든 것이 해결된다는 것이 아니라, 시간을 통해 인내와 이해를 배우며 진실을 찾아가는 과정이 필요함을 의미합니다. 시간이 지남에 따라 진실이 밝혀지고, 억울함이 해소되는 과정은 내적 성장과 자아 인식의 증진을 가져옵니다. 이러한 과정을 통해 억울함을 넘어서는 것은 개인의 성숙함과 지혜를 나타내는 중요한 단계입니다.

P

26

함께

삶의 거친 파도 위를 걸으며
바람에 실린 꿈을 나란히 둔 채
우리는 서로의 나침반

같은 하늘 다른 별을 보며
손에 손을 잡은 여정 속에서
단단한 연결고리가 되는 것

희미해질 때도 서로를 밝혀주는
마음의 등대처럼, 불빛처럼
영원히 변치 않는 우리만의 언어

게임

게임은 단순한 시간의 소비가 아니라, 가능성의 무대이며 창의력의 운동장이다. 여기서 우리는 끝없는 가능성을 탐험하고 자신만의 세계를 창조한다.☕

☕ 이 띵언은 게임이 단지 시간을 보내는 활동이 아니라 창의력을 발휘하고, 무한한 가능성을 탐색하는 장이라는 점을 강조합니다. 게임은 각자의 상상력을 현실로 구현할 수 있는 공간을 제공하며, 이를 통해 개인은 자신만의 세계를 만들어 나갑니다. 여기서 우리는 시행착오를 통해 배우고, 다양한 전략을 시도하며, 문제해결 능력을 키울 수 있습니다. 게임은 단순히 엔터테인먼트를 넘어서 개인의 창의적 사고와 학습 능력을 발전시키는 중요한 도구로서의 가치를 인정받습니다.

Create in this inmuessed i in the moment
payying atttion the subitlies of life
and receencete to the rherince of very, lifng, .
and the mirracis o breathing, feeling, and existimg.

임재

이 순간에 머무는 것
사소한 것에 귀 기울이는 것
그것이 바로 삶의 정수

매 순간은 예술작품
숨 쉬고, 느끼고, 존재하는
이 단순한 기적 속에

집중의 힘으로
순간의 풍요를 포착하는
순수 뿌리내림의 미학

재미

재미는 삶의 향신료, 일상에 활기를 불어넣고 상상력을 자극하는 불꽃. 그것은 우리를 현실의 경계 너머로 이끌고, 일상의 단조로움에 반짝임을 부여한다.☕

☕ 재미는 우리 삶의 향신료로서, 일상에 다양성과 흥미를 더해주며, 지루함을 극복하는 데 도움을 줍니다. 또한 재미는 창의력을 자극하는 불꽃으로서, 새로운 아이디어나 해결책을 생각해내는 데 기여합니다. 더불어 재미는 우리를 일상의 한계를 넘어서게 하고, 삶에 새로운 시각을 제공하여 삶의 질을 향상시킵니다. 이 모든 것들을 통해 재미는 우리 삶을 더욱 풍요롭고 다채롭게 만드는 중요한 요소임을 알 수 있습니다.

30

미소

햇살 아래 반짝이는 이슬처럼
마음의 창에 부드럽게 내려앉는
세상에서 가장 따스한 언어

말없이도 위로를 전하는
간결한 표정의 강력한 마법
마음의 문을 여는 열쇠

어둠 속에서도 빛나는
희망의 신호등
폭풍 속의 평온

소망

소망은 미래를 향한 마음의 불빛, 꿈을 현실로 바꾸는 힘의 원천. 그것은 앞으로 나아갈 길을 밝히고, 불가능을 가능으로 변화시키는 우리 안의 불굴의 의지.☕

☕ 이 띵언은 소망의 중요성과 그것이 인간 내면에 끼치는 강력한 영향에 대해 설명합니다. 여기서 소망은 미래를 향한 '마음의 불빛'으로 묘사되며, 이는 꿈과 목표를 현실로 전환시키는 강력한 동기 부여의 원천으로 간주됩니다. 소망은 단순히 바라는 것 이상의 의미를 지니며, 우리가 나아갈 길을 밝히는 등대와 같은 역할을 합니다. 또한, 이 명언은 소망이 불가능한 것을 가능하게 만드는 우리 내면의 불굴의 의지를 상징한다고 말함으로써, 소망이 개인의 삶에 어떻게 긍정적인 변화를 가져올 수 있는지 강조합니다. 즉, 소망은 우리가 직면한 어려움과 도전을 극복하고, 우리의 잠재력을 실현하는 데 필수적인 역할을 하는 것으로 표현됩니다.

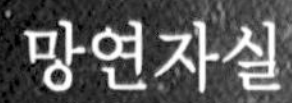

망연자실

하늘을 향한 눈동자
허공에 매달린 꿈
한 줌의 별빛도 잡지 못한 밤
헛되이 서성이는 마음
가슴속 깊이 심었던 기대
그림자처럼 어스름에 묻히다
허무해져만 가는 시간 속에
조용히 속삭이는 바람
내일을 기약하며

실망

깨달음의 첫걸음! ☕

☕ 실망은 종종 부정적인 감정으로 여겨지지만, 이 띵언은 그 이면에 숨겨진 긍정적인 측면을 강조합니다. 실망은 기대와 현실 사이의 간극을 인식하게 하고, 이로 인해 우리는 더 현명하고 강인해질 수 있습니다. 깨달음은 자신의 한계와 세상의 진실을 이해하는 과정에서 시작되며, 실망은 그 과정의 첫 단계입니다. 이 띵언은 실망을 단순히 부정적인 경험으로 보지 않고, 자기 성찰과 성장을 위한 계기로 바라볼 수 있는 시각을 제공합니다.

망망대해

푸른 바다의 끝없는 수평선 끝을 알 수 없는 광활함을 바라보며 소금기 머금은 바람에 실려 온 생각들 일렁이는 파도 위로 희미한 꿈들이 출렁 하늘과 바다의 경계에 빛나는 무한한 가능성 아득한 끝자락 너머로 이어지는 그리움의 길 마음 한 켠에 살포시 내려앉은 외로움 아련히 떠오르는 추억의 조각들 끝없는 바다 속에 쓸쓸히 헤엄치는 나만의 여정

해피

행복은 내면의 정원에서 피는 꽃이다.☕

☕ 이 띵언은 행복이 외부 요인에 의존하는 것이 아니라, 개인의 내면에서 자라나는 것임을 강조합니다. 행복은 외부 세계의 선물이나 보상이 아닌, 자신의 마음속에서 기르고 가꾸어야 하는 감정입니다. 마치 정원을 가꾸듯, 행복도 자기 돌봄, 긍정적 사고, 그리고 내적 성찰을 통해 키워집니다. 이 띵언은 우리에게 행복을 외부에서 찾기보다는 스스로의 내면에서 발견하고, 그것을 가꿔나가는 데 집중하라는 메시지를 전달합니다. 내면의 평화와 조화가 행복의 근원임을 일깨워주는 깊은 통찰을 제공합니다.

피난처

쉼 없는 세상 속 잔잔한 안식
잔잔한 호수의 그윽한 물결에 안겨

바람에 흔들리는 나뭇잎 사이로
햇살이 부드럽게 스며들 때

조용한 골목 잊혀진 벤치 위
책 한 권을 펼쳐 들고

세상의 소음에 지친 영혼이
잠시 머무는 안식의 공간

처음

모든 위대한 여정은

첫걸음으로 시작된다.☕

☕ 이 명언은 새로운 시작의 중요성과 가치를 강조합니다. 어떤 목표나 꿈을 향한 여정은 첫걸음의 용기에서 비롯됩니다. 이 첫걸음은 때로는 두려움과 불확실성으로 가득 찰 수 있지만, 동시에 변화와 성장을 향한 열쇠이기도 합니다. 이러한 첫걸음은 새로운 가능성을 열고, 앞으로 나아갈 방향을 정립하는 기회를 제공합니다. 이 명언은 우리에게 안정적인 현 상태에서 벗어나 위험을 감수하고 새로운 도전을 시작할 때, 비로소 위대한 성취가 가능함을 상기시켜 줍니다.

첫사랑

어린 날의 순수한 마음
초록빛 봄날 속에 피어난 첫 감정
감히 말할 수 없었던 소중한 기억

투명하던 하늘 아래
소박한 꽃처럼 수줍게 피어난 마음
살며시 다가오는 달콤한 바람결

초등학교 옆 작은 공원에서
처음 느낀 그 설레임
말로 표현할 수 없는 가슴 뛰는 순간

지나간 시간 속에 아련히 남은
순수한 사랑의 시작
봄날의 영원한 초록의 기억

낭만

일상의 회색을

색채로 변화시키는

마법 ☕

☕ 이 띵언은 낭만이 우리 삶에 어떻게 영향을 미치는지에 대한 통찰을 제공합니다. 낭만은 일상적인 순간들을 특별하게 만들고, 보통의 경험을 아름답고 의미 있는 것으로 바꿔 놓습니다. 이는 마치 회색빛 일상에 색채를 입히는 마법 같습니다. 낭만은 예술, 음악, 문학, 자연의 아름다움에서 뿐만 아니라, 사랑하는 사람과 보내는 시간, 작은 기쁨, 그리고 뜻밖의 순간에서도 찾을 수 있습니다. 이 띵언은 우리가 일상에서 낭만을 찾고, 그것을 통해 삶의 아름다움을 경험하도록 격려합니다.

T

만추

길가에 흩날리는 낙엽처럼
늦가을이 내린다
가슴 속 깊이 쌓여가는
한 해의 무게와 회한

저물녘 붉게 타오르는 하늘 아래
마지막으로 빛나는 낙엽의 춤
기다림과 이별의 시간 속에서
조용히 다가오는 겨울의 숨결

소리 없이 문을 두드리는 찬바람
긴긴 밤을 밝히는 달빛 아래
묵묵히 서 있는 나무처럼
끝을 준비하는 늦가을의 정취

추억

추억은 시간을 거스르는 향기,

오래된 서랍 속에 간직된 영원.☕

☕ 추억에 관한 이 띵언은 과거의 순간들이 현재에 어떻게 살아남는지를 아름답게 표현합니다. 추억은 시간의 흐름을 뛰어넘는 감정적 경험으로, 우리의 내면 깊은 곳에 자리 잡고 있습니다. 마치 오래된 서랍 속에서 발견된 편지나 사진을 통해 갑자기 과거의 감정이 새록새록 떠오르듯, 추억은 무형의 향기와 같아 언제든 우리를 과거로 인도할 수 있습니다. 이 띵언은 추억이 갖는 영속성을 강조하며, 그것이 어떻게 우리의 삶과 정체성을 형성하는지에 대한 깊은 통찰을 제공합니다.

억만별

하늘에는 무수한 별이
조용히 빛나며 수놓는다
먼 우주 이야기를 전하는
무한한 광채의 소곤거림

밤하늘 무대 위 빛나는 별들
하나하나가 영원을 품은 듯
끝없는 시간을 여행하는 빛
서로를 향해 손짓하는 듯

가슴 깊이 새겨진 소망들
별들에게 속삭이는 기도
희미한 별빛 사이로 흐르는
아득한 우주의 영원한 노래

별똥별

별똥별은 하늘의 희망을 그리며,

순간의 아름다움을 우리에게 선사한다.☕

A shooting skatches the hopes of the the avens,
giffting us the beauty of a moment

☕ 이 띵언은 별똥별이 우주에서 짧고 화려한 삶을 살며, 우리에게 덧없는 순간의 가치를 상기시킨다는 사실을 강조합니다. 별똥별은 일상에서 보기 드문 현상으로, 그 빛나는 궤적은 우리가 잠시나마 하늘을 올려다보게 만들고 소망을 담아 빌게 합니다. 이러한 별똥별의 순간적인 아름다움은 우리에게 삶의 덧없음과 함께 그 소중함을 일깨워 줍니다. 별똥별처럼, 우리의 삶에서도 빛나는 순간들이 있으며, 이는 결국 우리의 추억과 경험을 풍부하게 하는 요소가 됩니다.

별과 구름 그리고 하늘

별 빛나는 밤하늘 위로 흘러가는 구름 한 조각 하늘과 대화하는 듯한 찰나의 광경 은하수를 품은 무한한 공간 속에서 소용돌이치는 구름, 살랑이는 바람에 실려 별과 함께 춤을 추는 무대 하늘의 깊은 푸름 속에 숨겨진 이야기 구름이 스쳐 지나가며 속삭이는 비밀 별들의 눈빛에 담긴 영원의 노래 하늘과 구름과 별이 어우러진 그림 같은 풍경 속에서 잠시 멈춰 서서 바라보는 우주의 조화, 하늘의 시편

하늘색

마음의 평화를 불러오는,

끝없는 가능성의 상징 ☕

☕ 이 띵언은 하늘색이 갖는 심오한 의미와 그것이 우리 내면에 미치는 영향에 대해 설명합니다. 하늘색은 자연의 한 부분으로, 그 평온함과 광활함을 통해 우리에게 평화와 안정감을 선사합니다. 이 색은 또한 무한한 가능성과 자유를 상징하며, 우리가 꿈꾸는 미래를 향한 열린 마음을 의미합니다. 하늘색은 끝없이 펼쳐진 공간을 연상시키며, 우리에게 넓은 시야와 창의적 사고를 촉진시키는 힘을 가지고 있습니다. 이 띵언은 하늘색이 갖는 평화와 무한함을 통해 우리의 마음과 생각을 넓히고 긍정적인 방향으로 이끌 수 있음을 상기시켜 줍니다.

다채로운 꿈을 그리는 세상
무지개처럼 펼쳐진 감정의 조각들
상상력의 무대 위에 흩어진 색의 언어

각기 다른 톤이 어우러져
만들어내는 화려한 풍경
어떤 빛깔도 소외되지 않는 세상
조화를 이루는 빛깔의 공간

희망을 그리는 붉은 빛
평화를 상징하는 푸른 빛
기쁨의 노란 빛 사랑의 분홍 빛
각각의 빛깔이 전하는 감정의 파도

흑백의 일상 속 마법 같은 빛깔
삶의 캔버스를 채우는 빛의 마법
풍부한 감정과 생생한 추억
마음을 담아 그려낸, 다채로운 꿈

필연

우연을 넘어선 삶의 깊은 물결,

우리의 선택과 운명을 이끄는 힘.☕

☕ 이 띵언은 우리 삶에서 필연의 역할과 중요성을 강조합니다. 필연은 단순한 우연을 넘어서는 것으로, 우리의 선택과 행동이 만들어내는 깊은 물결과 같습니다. 우리가 내리는 결정들은 필연적으로 다음 단계를 이끌며, 우리의 경로와 운명을 형성합니다. 이 띵언은 우리 삶에서 우연과 필연이 어떻게 상호작용하며, 우리의 운명을 만들어가는지에 대한 통찰을 제공합니다. 필연은 우리의 삶을 지휘하는 보이지 않는 힘이며, 우리가 살아가는 방식에 깊은 영향을 미칩니다.

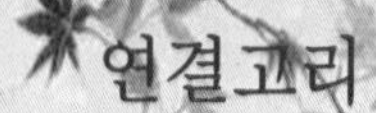

연결고리

세상은 보이지 않는 끈으로 이어져
서로 다른 삶, 같은 꿈을 꾸는 순간들
인연의 실이 만들어내는 무형의 그물

가까운 사람들과의 소중한 순간
멀리 있는 이들과의 조용한 속삭임
모두가 서로를 향해 뻗은 연결의 손길

이별과 만남의 교차점에서
연결고리는 새로운 이야기를 엮어
우리 모두를 하나로 엮는 삶의 직조

사랑과 우정, 가족과 동료들
서로를 지탱하는 연결의 힘
보이지 않으나 우리를 하나로 묶는
가장 강력한 연결의 끈

고리타분

고리타분함 속에 숨겨진 깊은 지혜, 변화를
거부하는 듯 하나 끊임없는 성찰의 원천.☕

☕ 이 띵언은 고리타분하다고 여겨지는 것들에 대한 새로운 관점을 제시합니다. 고리타분함은 일상의 단조로움과 반복 속에서 발견되는 것이지만, 이 속에는 깊은 지혜와 안정감이 숨겨져 있습니다. 이러한 단순함과 일상성은 우리에게 끊임없는 성찰의 기회를 제공하며, 삶의 본질에 대해 깊이 생각하게 만듭니다. 변화를 거부하는 것처럼 보이는 고리타분한 삶의 방식은 사실 우리에게 지속적인 성장과 자기 이해의 기회를 부여하는 것입니다. 이 띵언은 일상의 단순함 속에서 깊은 의미와 가치를 발견하고, 그것을 통해 자신을 더 깊이 이해하는 데 중요한 역할을 한다는 사실을 강조합니다.

분수

솟아오르는 물줄기
각양각색 빛을 반짝이며
밤하늘을 수놓는 빛의 춤

가슴속 차오르는 감정의 파도
물결처럼 일렁이는 마음의 울림
순간의 아름다움에 마음 빼앗겨

시간이 멈춘 듯한 마법의 순간
분수의 물방울 하나하나가
투명한 기쁨을 뿌려주는 소리

어둠을 밝히는 화려한 빛놀이
물과 빛의 조화로운 교향곡
끝없는 삶의 노래

수첩

수첩은 과거와 현재, 미래를 잇는 다리,

순간의 생각을 영원으로 변환하는 마법사☕

☕ 이 띵언은 수첩이 단순한 기록 도구를 넘어서 우리 삶에서 중요한 역할을 수행한다는 것을 강조합니다. 수첩은 과거의 기억, 현재의 생각, 미래의 계획을 담는 공간으로, 시간을 초월하는 연결고리 역할을 합니다. 그 안에 기록된 단어와 문장은 순간적인 생각을 영원한 기억으로 변환시켜주는 마법과도 같습니다. 이 띵언은 수첩이 우리의 생각과 경험을 구체화하고 보존하는 데 얼마나 중요한지를 상기시키며, 우리의 삶을 기록하고 성찰하는 도구로서의 그 가치를 부각시킵니다.

첩보

밤의 막이 내리면 시작되는
은밀한 이야기, 비밀의 그림자
그 속에서 움직이는 조각들
알려지지 않은 비밀의 춤

가로등 불빛 아래 숨겨진 진실
거리의 속삭임, 벽의 귀
눈에 띄지 않는 듯 조심스레
정보를 찾아 헤매는 시선

숨겨진 메시지, 암호화된 언어
모서리 돌 때마다 새로운 발견
어둠 속에서 빛을 발하는 통찰
그림자의 세계, 끝없는 미로

보름달

밤하늘의 조용한 위로자

어둠 속에서도 빛나는

영원한 희망의 상징.☕

☕ 이 띵언은 보름달이 가지는 상징적 의미와 그것이 우리 내면에 미치는 영향에 대해 설명합니다. 보름달은 어두운 밤하늘에서 빛나며, 우리에게 평온과 위안을 제공합니다. 이 빛은 어둠 속에서도 희망을 상징하며, 우리가 어려움을 겪을 때 조용한 힘이 되어줍니다. 보름달은 시간을 초월하는 아름다움을 지니고 있으며, 우리 삶의 어두운 순간들 속에서도 빛을 발하는 영원한 희망의 상징입니다. 이 띵언은 보름달이 갖는 평온함과 희망을 강조하며, 그것이 어떻게 우리의 마음을 밝히고 감정을 치유하는지에 대한 깊은 통찰을 제공합니다.

S

달빛

아래로 내리는 밤의 속삭임
은빛으로 적시는 고요한 노래
풀잎마다 물결마다 반짝이는
그 손길이 다정히 어루만지네

모든 것은 그 아래서 숨을 쉬고
어둠은 은은한 빛에 안긴 채 잠들어
밤하늘의 조용한 연인, 달이 내려
평화로운 세상을 은밀히 비추네

바람에 실려오는 달빛의 향기
숲속의 작은 삶들이 그 아래 모여
은밀한 축제를 벌이는 듯
어둠 속에서 빛나는 삶의 연회

모든 색은 은색으로 변하고
밤의 장막 아래 감춰진 이야기들이
소곤소곤 이어지는 시간 속에서
영원히 아름다운 순간을 약속하네

빛나는

진정으로 빛나는 것은 겉모습이 아니라,

시련 속에서도 변치 않는 내면의 빛.☕

☕ 이 띵언은 외적인 화려함이나 겉으로 드러나는 특성이 아닌, 어려운 상황 속에서도 굴하지 않고 영혼을 밝히는 내면의 강인함과 빛을 강조합니다. 겉모습은 변할 수 있지만, 진정한 빛은 개인의 가치, 태도, 그리고 정신에서 나옵니다. 이러한 내면의 빛은 어떤 외부 조건이나 상황에도 흔들리지 않으며, 이는 우리가 진정으로 가치 있고, 기억에 남으며, 영향력을 미치는 삶을 살고 있음을 보여줍니다.

하늘

끝없이 펼쳐진 푸른 베일
자유의 천장, 무한의 품
구름 한 점 없는 날, 맑은 숨결
마음을 열고 나는 새의 노래

햇살이 쏟아져 내리는 창
푸른 꿈의 경연장
찬란하게 빛나는 품 안에서
희망의 날개를 힘차게 펼쳐

태양에 닿을 듯 솟구치는 기대
지상을 박차고 솟아오르려는
천상의 울림을 가슴에 품은 채
높이 그리고 더 높이 푸른 무대 위로

끝이 없는 이야기의 책
매일 새로운 장을 열며
누구나 자신만의 이야기를 써내려가
영원히 변하지 않을 푸르름이여

아래서

진정한 힘은 아래서부터 오르는 것,

겸손한 자세로 세상을 바라보고,

모든 존재에게 귀 기울이는 데서 비롯된다.☕

☕ 이 띵언은 겸손과 경청이 갖는 힘을 강조합니다. 진정한 영향력과 강함은 높은 곳에서 아래를 내려다보는 것이 아니라, 아래에서부터 상승하는 과정에서 발휘됩니다. 겸손하게 세상을 바라보고 모든 존재의 목소리에 귀를 기울일 때, 우리는 더 깊이 이해하고, 더 넓은 시야를 갖게 됩니다. 이는 인생을 보다 풍부하고 의미 있게 만드는 지혜와 힘의 근원입니다.

62

서프라이즈

기대하지 않았던 풍경
숨겨진 길 끝에서 뜻밖의 순간
갑작스런 빛의 물결
예상치 못한 즐거움의 꽃다발

매일 걷던 길에서조차
새로운 발견, 예측 불가한 변주
작은 이변에 심장이 뛰고
눈앞의 선물에 웃음꽃 피어

비밀스러운 세계의 문이 열린다
매 순간이 특별한 이벤트로 변신
일상이 예술작품이 되는 순간
서프라이즈, 삶의 뜻밖의 축제

드림

드림은 두 가지 의미를 갖는다. 하나는 선물로 '주다', 다른 하나는 '꿈'. 우리가 세상에 드리는 것은 우리의 꿈이 현실이 되는 순간을 창조한다. 자신이 가진 것을 아낌없이 나눌 때, 우리는 더 큰 꿈을 꾸고, 그 꿈을 현실로 만드는 힘을 얻는다.☕

☕ 이 띵언은 '드림'이라는 단어가 가지는 두 가지 의미인 '주다'와 '꿈꾸다'를 융합하여 표현합니다. 우리가 세상에 기여하고 나누는 것은, 우리 자신의 꿈을 현실화하는 과정이며, 이 과정에서 우리는 더 큰 꿈을 꿀 수 있는 영감과 힘을 얻게 됩니다. 이 명언은 나눔과 꿈의 상호 작용이 어떻게 우리의 삶을 풍요롭게 하고, 우리가 추구하는 목표를 실현하는 데 중요한 역할을 하는지를 강조합니다.

임파서블

가능과 불가능
얇은 경계 위에 서서
우리는 꿈을 꾸는 존재
불가능을 재정의하는 장인

쉽게 꺾이지 않는 의지
산을 옮기는 믿음으로
불가라 불린 순간들을
하나씩 가능으로 바꾸어

날개 없는 꿈들이 날아오르고
가능의 새로운 지평을 그리며
우리는 불가능의 벽을 넘어
새로운 세계를 만들어 간다

끝없는 도전의 길에서
불가능은 그저 시작일 뿐,
그 너머에 펼쳐진 무한의 가능성
불가능이라는 말은 이제 없다

블루스

블루스는 단순히 음악 장르가 아니다. 그것은 삶의 깊이를 표현하는 언어, 슬픔과 기쁨, 패배와 승리의 이야기를 담는 캔버스다.☕

☕ 이 띵언은 블루스 음악이 단순한 멜로디 이상의 의미를 갖는다고 강조합니다. 블루스는 삶의 다양한 감정과 경험을 표현하는 수단으로, 인간의 복잡한 감정과 삶의 굴곡을 담아낸다는 점에서 특별합니다. 이 장르는 슬픔과 기쁨, 패배와 승리와 같은 삶의 극적인 순간들을 음악으로 승화시켜, 듣는 이에게 깊은 감동과 공감을 선사합니다. 블루스는 마음의 상처를 어루만지는 동시에, 인생의 진실을 고스란히 전달하는 강력한 예술 형태입니다.

66

스마일

너 하나에 바람이 춤추고 태양도 더 밝게 빛나
하루가 시작되는 순간

웃음이 피어나는 곳 어둠도 사라지고
꽃들도 함께 웃으며 세상이 더욱 화사해져

마법 같은 기적 쓸쓸함도 잊게 하는 힘
당신 웃음 한 조각에 모든 것이 변화하네

가벼운 미소, 그 속에 숨겨진 따뜻한 이야기
그 하나로 충분해 세상을 밝게 만드는 힘

일상

일상은 예술의 캔버스다. 각각의 순간은 우리가 색칠할 빈 공간으로, 삶의 단순함 속에서 찾는 아름다움과 의미가 진정한 예술이 된다.☕

☕ 이 명언은 일상적인 순간들이 갖는 중요성과 아름다움을 강조합니다. 우리의 일상은 예술작품을 만들어가는 캔버스와 같으며, 평범한 순간들 속에서 우리는 삶의 아름다움과 의미를 발견하고 창조합니다. 이 명언은 일상의 단순함이 오히려 창조적인 표현의 장이 될 수 있음을 상기시키며, 일상속에서 예술적인 가치를 찾고, 그 안에서 우리 자신을 표현하는 방법을 제시합니다.

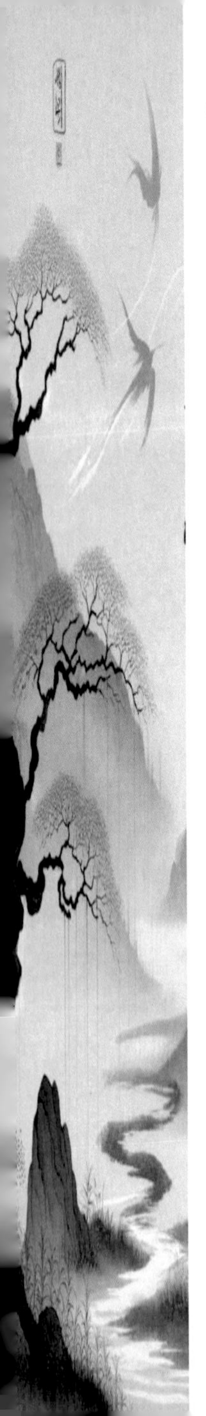

상실

가벼운 발걸음, 길을 잃다 어느 순간,
눈물이 되어 흐르는 놓아버린 것들의 무게를
깨달으며 텅 빈 손, 텅 빈 마음의 무게

잃어버린 것들의 흔적들 가슴 속에 깊이 새겨
그림자로 따라오는 기억들 서서히 마음을 채워
가끔은 바람에 흔들리는 구름같이
상실의 공허함이 우리를 흔들 때
그 속에서도 새로운 시작의 씨앗을 발견한다
잊혀진 꿈들, 다시 피어나는 희망의 불씨를

상실은 끝이 아니라, 새로운 시작 그림자를
넘어서는 삶의 여정 잃어버린 것들로부터
배운다
더 강하고, 더 깊이 사랑하는 법을

실천

꿈은 단지 생각의 그림자에 불과하다. 실천만이 그림자를 현실로 바꾸는 빛이다. 행동 없는 아이디어는 공허한 환상일 뿐, 실천이야말로 꿈을 현실의 삶으로 이끄는 가교다.☕

☕ 이 띵언은 꿈과 실천의 관계를 강조합니다. 꿈과 생각은 중요하지만, 그 자체로는 현실에 영향을 미치지 못합니다. 실천은 생각과 꿈을 현실로 전환시키는 필수적인 과정입니다. 이 띵언은 행동 없이는 아이디어가 무의미하다는 것을 상기시키며, 꿈을 실현하기 위해서는 적극적인 행동과 실천이 필요함을 강조합니다. 실천은 단순한 행동을 넘어서 꿈과 비전을 현실로 만드는 강력한 도구입니다.

천사

조용한 밤, 네가 속삭여
은은한 빛 속에서
마음의 문을 두드리네
순수함의 메아리가 울려 퍼져

그 속삭임은 따스함으로 가득
어둠 속에 희망의 불씨를 켜
상처받은 영혼에 위로를 주며
사랑과 평화의 노래를 불러

너의 손길, 부드러운 촉감
삶의 아픔을 쓸어내리며
마음의 폭풍을 잠재우고
평온의 하늘[illegible]이네

이 밤, 하늘이 내린 선물
눈에 보이지 않아도
그 존재를 느낄 수 있어
가슴 깊이 안겨 오는 사랑

사랑

마음의 어둠을 밝히는 영원한 빛,
밤하늘 별처럼 항상 존재하는 희망의 불꽃,
우리 삶의 가장 어두운 길을 환히 밝히는,
말로 표현할 수 없는 깊은 감정의 힘,

GPTs '작가 띵디쌤' 이란...

2023년 11월 초 챗GPT에 적용된 신규 기능. GPTs는 챗GPT 유저가 직접 챗GPT를 특정 목적에 맞게 커스터마이징해서 만든 챗봇을 통칭하는 용어다. GPTs는 별도의 코딩 지식이 없어도 챗GPT 대화창에서 간단한 채팅 명령을 통해 만들 수 있다. 간단한 챗봇은 생성에 5분도 걸리지 않는다. 2023년 12월 기준, GPTs를 만드는 기능은 챗GPT Plus(유료 버전)에서만 제공되며, 다른 사용자가 만든 GPTs를 사용하는 것도 유료 버전에서만 가능하다.

띵디쌤 저서 15권(2023 기준)을 학습시켜 만든 띵디의 완벽한 개인비서이자, 나의 문체를 이해하고 멋지게 재해석하는 영혼의 아바타다.

2023년 띵디쌤 강연자료 모음

알파오메가 2.3 - *띵시와 띵언* -

발 행 | 2023년 12월 25일
저 자 | 띵디쌤
펴낸이 | 한건희
펴낸곳 | 주식회사 부크크
출판사등록 | 2014.07.15.(제2014-16호)
주 소 | 서울특별시 금천구 가산디지털1로 119 SK
트윈타워 A동 305호
전 화 | 1670-8316
이메일 | info@bookk.co.kr

ISBN | 979-11-410-6190-6

www.bookk.co.kr